ALDÉBARAN

TAURUS

**Première photo de la planète Bételgeuse–6
prise par la sonde automatique « Neil Armstrong »
en 2142.**

LEO

BETELGEUSE

5. L'AUTRE

DARGAUD

PARIS • BARCELONE • BRUXELLES • LAUSANNE • LONDRES • MONTREAL • NEW YORK • STUTTGART

LES MONDES D'ALDÉBARAN

TITRES DISPONIBLES :

CYCLE 1 : ALDÉBARAN
1/LA CATASTROPHE
2/LA BLONDE
3/LA PHOTO
4/LE GROUPE
5/LA CRÉATURE

ALDÉBARAN : L'INTÉGRALE

CYCLE 2 : BÉTELGEUSE
1/LA PLANÈTE
2/LES SURVIVANTS
3/L'EXPÉDITION
4/LES CAVERNES
5/L'AUTRE

À PARAÎTRE :
CYCLE 3 : ANTARÈS

TITRES DISPONIBLES DU MÊME AUTEUR :

TRENT (8 volumes) - scénario RODOLPHE
KENYA (3 volumes) - scénario RODOLPHE et LEO
DEXTER LONDON (3 volumes) - dessin GARCIA

www.aldebaran.ws

www.dargaud.com

© **DARGAUD 2005**
Tous droits de traduction, de reproduction et d'adaptation strictement réservés pour tous pays.
Dépôt légal : novembre 2005 • ISBN 2-205-05636-0
Imprimé en France par PPO Graphic, 93500 Pantin

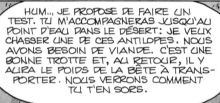

4

JUSQU'ICI, ÇA VA, LA CHEVILLE ?

AUCUN PROBLÈME !

TU ES BIEN SILENCIEUX, HECTOR. QU'EST-CE QU'IL Y A ?

HEU... C'EST QUE...

C'EST QUE JE VEUX TE DIRE UN TRUC ET JE NE TROUVE PAS LA BONNE FAÇON DE COMMENCER...

AH BON ? C'EST SI COMPLIQUÉ QUE ÇA ?

MADEMOISELLE KIM KELLER : JE SUIS AMOUREUX DE TOI. DÈS QUE JE T'AI VUE, JE SUIS TOMBÉ ÉPERDUMENT AMOUREUX DE TOI. VOILÀ : C'EST ÇA QUE JE VOULAIS TE DIRE.

LEO

NON, JE VOULAIS TE DIRE AUSSI QUE ÇA DEVIENT UN VRAI SUPPLICE. NOUS VIVONS À QUATRE DANS UNE PROMISCUITÉ PAS POSSIBLE, OÙ NOUS N'AVONS PRESQUE AUCUN MOMENT DE VIE PRIVÉE. JE TE CÔTOIE ET JE TE FRÔLE À LONGUEUR DE JOURNÉE...

... EN MÊME TEMPS QUE JE NE PEUX RIEN FAIRE, RIEN DÉMONTRER, PAR PUDEUR, À CAUSE DES AUTRES FILLES... C'EST VRAIMENT UN SUPPLICE !

③

HÉ! TU NE DIS RIEN ?!

QU'EST-CE QUE JE SUIS CENSÉE DIRE ? QUE JE SUIS MOI AUSSI AMOUREUSE DE TOI ?

PAR EXEMPLE...

EH BIEN, MON CHER HECTOR, IL SE PASSE QUE DEPUIS MON PLUS JEUNE ÂGE J'AI ÉTÉ AMOUREUSE D'UN SEUL HOMME. CE N'EST QUE RÉCEMMENT QUE NOUS AVONS ROMPU... JE NE SUIS PAS ENCORE TRÈS SÛRE D'AVOIR RÉUSSI À TOURNER LA PAGE...

JE SUIS SÛRE EN TOUT CAS QUE JE NE VEUX PAS ME LIER AVEC QUI QUE CE SOIT EN CE MOMENT. J'AI BESOIN D'UNE PÉRIODE DE CALME PLAT DU CÔTÉ DES SENTIMENTS...

JE COMPRENDS... BON... TU SAIS À PRÉSENT CE QUE JE RESSENS POUR TOI ET JE NE REVIENDRAI PLUS SUR LE SUJET. LA BALLE EST DANS TON CAMP, D'ACCORD ?

D'ACCORD.

REGARDE-MOI ÇA !

LEO ④

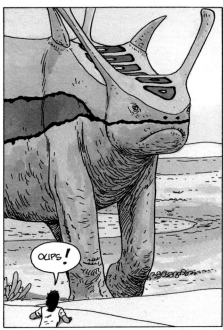

IMPRESSIONNANT, HEIN ?!...

PAW

UN SEUL COUP DE FUSIL, ET VOILÀ LE TRAVAIL. AVEC TOI, TOUT SEMBLE FACILE, KIM !

ARRÊTE, HECTOR ! J'AI DES DÉFAUTS AUSSI, TU SAIS..., PLEIN DE DÉFAUTS...

TU SAIS À QUOI JE PENSE, HECTOR ?

JE CROIS QUE OUI...,

LE DERNIER DANS L'EAU PORTERA L'ANTILOPE TOUT SEUL !

OUH-HOU !

LΞO

⑥

8

AAH! ÇA FAIT DU BIEN!

DIS-MOI, HECTOR: ES-TU SÛR QUE TON ATTIRANCE POUR MOI N'EST PAS SEULEMENT UNE HISTOIRE DE SEXE?... PARCE QUE DANS CE CAS, NOUS SOMMES TOUT SEULS ICI, NOUS POURRIONS EN PROFITER POUR...

NON, KIM, CE QUE JE RESSENS POUR TOI N'EST PAS SEULEMENT UNE HISTOIRE DE SEXE... MAIS C'EST AUSSI ÇA!...

TOC

AÏE!

?

CE N'EST PAS JUSTE!

QU'EST-CE QUE TU FAIS LÀ?!

ET QU'EST-CE QUI TE PREND?!

QUAND JE PROPOSE À HECTOR DE FAIRE L'AMOUR, MONSIEUR SE REFUSE. MAIS AVEC TOI, PAS DE PROBLÈME. CE N'EST PAS JUSTE!

MAÏ LAN, ATTENDS! RENTRE AVEC NOUS, C'EST DANGEREUX DE SE PROMENER DANS LE DÉSERT TOUTE SEULE!

ET SANS ARME, EN PLUS!...

LEO

⑦

9

C'EST UNE VRAIE PETITE SAUVAGE, CETTE GAMINE !...

UNE SAUVAGEONNE ÉPRISE DE TOI, À CE QUI SEMBLE... VIENS, SUIVONS-LA !

ELLE EST AMOUREUSE DE MOI, QUI SUIS AMOUREUX DE TOI, QUI NE SAIS PAS SI TU ES AMOUREUSE DE QUELQU'UN : C'EST UN MAUVAIS FILM, ÇA !

OUI... EN ESPÉRANT QU'INGE NE VA PAS S'Y METTRE, ELLE AUSSI !

ALORS, HECTOR ? TA CHEVILLE A TENU LE COUP ?

TOUT À FAIT ! JE SUIS PRÊT POUR LE GRAND VOYAGE DE RETOUR !

NOUS ALLONS METTRE LA VIANDE À SÉCHER. DANS TROIS OU QUATRE JOURS, NOUS POURRONS PARTIR...

QU'EST-CE QUI LUI EST ARRIVÉ ? ELLE S'ÉTAIT ÉCLIPSÉE ET PUIS ELLE EST RÉAPPARUE EN PLEURS, SANS VOULOIR RIEN DIRE.

DISONS QU'ELLE FAIT SES CLASSES POUR ENTRER DANS L'ÂGE ADULTE... PARFOIS IL Y A DES BLESSURES...

ALLEZ, NE PLEURE PAS... IL N'Y A RIEN ENTRE HECTOR ET MOI, ET RIEN NE S'EST PASSÉ LÀ-BAS DANS LE LAC.

RIEN NE S'EST PASSÉ PARCE QUE MOI JE L'AI EMPÊCHÉ, SINON...

T'AS RAISON, MAIS JE TE PROMETS QU'IL N'Y AURA PAS DE DEUXIÈME FOIS, O.K. ?

VIENS... VIENS M'AIDER À DÉPECER L'ANTILOPE. INGE ET HECTOR SONT NULS POUR CE GENRE DE TRUC !

QUELQUE CHOSE NE VA PAS, KIM ?

JE... JE DOIS DESCENDRE JUSQU'À LA RIVIÈRE. LA MANTRISSE... JE CROIS QU'ELLE M'APPELLE...

MAIS... C'EST ABSURDE, KIM ! TU N'ARRIVERAS JAMAIS À DESCENDRE CETTE PAROI À PIED, ET ENCORE MOINS LA NUIT !

LAISSE-MOI ESSAYER D'APPELER IUMMY POUR TE TRANSPORTER. MAIS JE CROIS QU'IL VA FALLOIR ATTENDRE LE MATIN DE TOUTE FAÇON, LES IUMS DORMENT LA NUIT, COMME NOUS, TU SAIS...

IL EST DÉJÀ LÀ...

TU NE VEUX PAS QU'UN DE NOUS T'ACCOMPAGNE ?

NON... IL FAUT QUE J'Y AILLE SEULE.

9

JE NE SAIS PAS COMBIEN DE TEMPS JE VAIS ÊTRE ABSENTE. MAIS NE VOUS INQUIÉTEZ PAS, JE NE COURS AUCUN DANGER AVEC LA MANTRISSE.

PRENDS BIEN SOIN DE TOI ET NE TE FAIS PAS DE SOUCI POUR NOUS!

ELLE N'A RIEN VOULU MONTRER, MAIS ELLE ÉTAIT MORTE DE PEUR, LA PAUVRE KIM...

OUI... JE N'AIME PAS DU TOUT LA VOIR PARTIR TOUTE SEULE COMME ÇA, AU MILIEU DE LA NUIT.

VOUS EXAGÉREZ, VOUS DEUX! ELLE N'EST PAS SEULE, IUMMY L'ACCOMPAGNE ET LE JOUR NE VA PAS TARDER À SE LEVER...

C'EST ICI LE TERMINUS, JE SUPPOSE...

TU T'EN VAS DÉJÀ? BON... MERCI POUR LA BALADE!

LEO.

⑩

EN ESPÉRANT QU'IL VA REVENIR POUR ME RECONDUIRE LÀ-HAUT, SINON ...

ON DIRAIT QU'IL AVAIT PEUR DE RESTER ICI...

ET MOI QUI OUBLIE D'APPORTER UNE ARME!...

!

LA SPHÈRE!... AURAIT-ELLE QUELQUE CHOSE À VOIR AVEC LA MANTRISSE?!

!

PFFFF

LÉO

⑪

14

VOILÀ, ICI VOUS SEREZ EN SÉCURITÉ.

LA SPHÈRE!...

C'EST DONC VOUS QUI ÊTES DERRIÈRE CETTE MYSTÉRIEUSE SPHÈRE!

OUI, C'EST MOI. C'EST UNE CAMÉRA.

QUI ÊTES-VOUS?

OH, MON DIEU! ... VOUS... VOUS ÊTES...

JE VIENS D'UNE AUTRE PLANÈTE. COMME VOUS. JE M'APPELLE SVEN OU, PLUS EXACTEMENT, QUELQUE CHOSE QUI, DANS VOTRE LANGUE, SONNE COMME SVEN.

MAIS... VOUS PARLEZ MA LANGUE, VOUS CONNAISSEZ MON NOM!?

CELA FAIT PLUSIEURS ANNÉES QUE J'OBSERVE VOS SEMBLABLES SUR ALDÉBARAN. J'AI EU LE TEMPS D'APPRENDRE VOTRE LANGUE. ET J'OBSERVE EN PARTICULIER LE GROUPE QUI PREND LES GÉLULES DE LA MANTRISSE. JE VOUS CONNAIS DE LONGUE DATE, KIM.

LEO

14

VOUS... VOUS ÉTIEZ SUR ALDÉBARAN ?!

OUI, C'EST MON POINT D'ATTACHE.

QUE FAITES-VOUS DONC ICI, SUR BÉTELGEUSE ?

JE VOUS AI SUIVIE, KIM.

VOUS M'AVEZ SUIVIE, MOI ?! ... ET POURQUOI ÇA ?!

C'EST UNE LONGUE HISTOIRE. VOUS NE VOULEZ PAS VOUS SÉCHER ? NOUS POURRIONS AUSSI MANGER QUELQUE CHOSE TOUT EN PARLANT. VOUS N'AVEZ PAS FAIM ?

POURQUOI M'AVEZ VOUS SUIVIE ?

POUR LA MÊME RAISON QUI M'A POUSSÉ À ENFREINDRE TOUTES LES LOIS DE MON PEUPLE EN ME MONTRANT À VOUS. VOUS ME FASCINEZ, KIM, VOILÀ LA RAISON.

JE... JE NE VOUS COMPRENDS PAS...

VOUS ALLEZ COMPRENDRE. MAIS NE RESTONS PAS ICI. ALLONS DANS UN COIN TRANQUILLE DU DÉSERT, LÀ-HAUT.

NON ! JE VEUX QUE MES COMPAGNONS PARTICIPENT À CETTE CONVERSATION. JE NE VEUX PAS ÊTRE LÀ TOUTE SEULE...

C'EST IMPOSSIBLE ! JE VOUS AI DIT QUE LES LOIS DE LA RECHERCHE INTERPLANÉTAIRE M'INTERDISENT DE ME MONTRER À VOS SEMBLABLES. AVEC VOUS, JE FAIS UNE EXCEPTION QUI PEUT ME COÛTER TRÈS CHER, MAIS C'EST IMPENSABLE QUE JE ME FASSE VOIR PAR D'AUTRES PERSONNES.

LEO

POURQUOI ?!

PARCE QUE, SELON NOUS, VOTRE PEUPLE N'EST PAS ENCORE PRÉPARÉ À RENCONTRER UNE RACE PLUS ÉVOLUÉE.

⑮

VOUS VOUS SENTEZ BIEN ? ASSEYEZ-VOUS...,

QUE S'EST-IL PASSÉ LÀ-BAS, AVEC LA CRÉATURE ?

UNE DES MANTRISSES D'ICI NE VEUT PLUS LA PRÉSENCE DES HUMAINS SUR BÉTELGEUSE ET ELLE DÉCHARGEAIT SA MAUVAISE HUMEUR SUR VOUS. SANS MON INTERVENTION, VOUS COURIEZ UN DANGER.

IL EXISTE DONC DEUX MANTRISSES SUR BÉTELGEUSE, COMME JE LE SUSPECTAIS...

TOUT À FAIT.

COMMENT ÇA SE FAIT QUE VOUS EN SACHIEZ AUTANT SUR LES MANTRISSES ? ET COMMENT AVEZ-VOUS PU AUSSI FACILEMENT ME SAUVER SANS QUE LA MANTRISSE RÉAGISSE ?

JE LES CONNAIS TRÈS BIEN, LES MANTRISSES. JE LES ÉTUDIE, C'EST MON MÉTIER. MAIS J'AI AUSSI UNE RELATION TRÈS PARTICULIÈRE AVEC ELLES...,

LES MANTRISSES SONT ORIGINAIRES DE LA MÊME PLANÈTE QUE MOI. NOS DEUX RACES VIVENT EN SYMBIOSE DEPUIS LA NUIT DES TEMPS.

VOUS...! ÇA ALORS ! ...MAIS... QUE FONT DONC CES MANTRISSES SUR BÉTELGEUSE ET SUR ALDÉBARAN ?

CE SONT DES ÊTRES QUI ONT DÉCIDÉ IL Y A TRÈS LONGTEMPS DE PARTIR VERS D'AUTRES PLANÈTES. MON TRAVAIL CONSISTE JUSTEMENT À LES ÉTUDIER, POUR COMPRENDRE COMMENT CES MANTRISSES SE SONT ADAPTÉES À LEUR NOUVEL ÉCOSYSTÈME.

SONT-ELLES VRAIMENT INTELLIGENTES ? JE VEUX DIRE, D'UNE INTELLIGENCE SEMBLABLE À LA NÔTRE ? ET LES GÉLULES ? DANS QUEL BUT NOUS DONNENT-ELLES CES GÉLULES QUI TRANSFORMENT NOTRE ORGANISME ?

16

JE VAIS RÉPONDRE À TOUTES VOS QUESTIONS, MAIS NOUS AVONS LE TEMPS. POURQUOI NE PAS VOUS CHANGER D'ABORD ? VOUS ÊTES TREMPÉE. J'EN PROFITERAI POUR PRÉPARER UN PETIT DÉJEUNER, NOUS PARLERONS EN MANGEANT.

IL FAIT CHAUD, MES VÊTEMENTS VONT SÉCHER EN QUELQUES MINUTES. ET JE N'AI PAS TROP FAIM, JE SUIS TROP TENDUE !...

JUSTEMENT ! JE VOULAIS QUE VOUS VOUS DÉTENDIEZ. JE VOUDRAIS M'ENTRE-TENIR LONGUEMENT AVEC VOUS, J'AI DES CHOSES IMPORTANTES À VOUS DIRE, KIM. FAITES-MOI PLAISIR : PRENEZ UN BAIN. JE METTRAI À SÉCHER VOS VÊTEMENTS OU JE VOUS EN DONNERAI D'AUTRES PLUS CONFORTABLES.

D'ACCORD, J'AI COMPRIS. JE PUE LA SUEUR, C'EST ÇA ? C'EST VRAI QUE ÇA FAIT UN MOMENT QUE NOUS N'AVONS PLUS DE SAVON...

NON, CE N'EST PAS ÇA, JE VOUS ASSURE !...

IL SUFFIT D'APPUYER ICI : L'EAU JAILLIRA DES MURS ET VOUS NETTOIERA, SANS AVOIR BESOIN DE SAVON. PUIS, POUR VOUS SÉCHER, VOUS APPUIEREZ SUR L'AUTRE BOUTON.

MERCI.

DÉMENTIELLE, VOTRE DOUCHE ! JE NE ME SUIS JAMAIS SENTIE AUSSI PROPRE DE MA VIE !

CETTE ROBE EST IDENTIQUE À UN MODÈLE QUE J'AI POSSÉDÉ IL Y A PLUSIEURS ANNÉES...

LEO

⑰

...ET CETTE CULOTTE EST DE LA MARQUE QUE JE PRÉFÈRE ET EXACTEMENT À MA TAILLE... VOUS POUVEZ M'EXPLIQUER CELA, MONSIEUR SVEN?

JE SAVAIS QUE J'ALLAIS VOUS RENCONTRER UN JOUR, KIM, ET JE VOULAIS VOUS FAIRE PLAISIR. J'AI ACHETÉ CETTE ROBE À ANATOLIE — JE PEUX PASSER INAPERÇU PARMI LES HUMAINS SANS TROP DE DIFFICULTÉ — ET, AVEC MES PETITS ROBOTS VOLANTS, ÇA A ÉTÉ FACILE DE DÉCOUVRIR VOTRE TAILLE AINSI QUE VOS PRÉFÉRENCES...

VOUS...VOUS M'ESPIONNEZ DEPUIS TOUT CE TEMPS?! ÇA FAIT DES ANNÉES QUE JE N'AI PLUS CETTE ROBE!

OUI, ÇA FAIT UN BON MOMENT QUE JE VOUS OBSERVE.

MÊME DANS MON INTIMITÉ, À LA MAISON, C'EST ÇA?

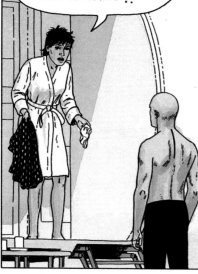

POURQUOI?! QU'EST-CE QUE VOUS ME VOULEZ? POURQUOI AVOIR DÉCIDÉ DE M'ESPIONNER DEPUIS TOUT CE TEMPS?!

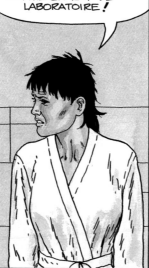

VOUS N'AVIEZ PAS LE DROIT DE ME FAIRE ÇA! JE ME SENS ENVAHIE, HUMILIÉE! JE ME SENS COMME UN RAT DE LABORATOIRE!

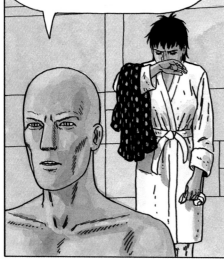

AU DÉBUT, C'EST VRAI, VOUS N'ÉTIEZ QU'UNE SORTE DE RAT DE LABORATOIRE, D'OBJET D'OBSERVATION, DE SUJET D'ANALYSE DANS MON TRAVAIL DE RECHERCHE.

MAIS TRÈS VITE CELA A CHANGÉ. D'ABORD PARCE QUE JE ME SUIS RENDU COMPTE D'UN FAIT SURPRENANT: VOTRE RACE ET LA MIENNE SONT ÉTONNAMMENT SEMBLABLES. EXTÉRIEUREMENT, C'EST FLAGRANT, COMME VOUS POUVEZ LE CONSTATER PAR VOUS-MÊME...

LEO

MAIS INTÉRIEUREMENT AUSSI! NOS ORGANISMES SONT PRESQUE IDENTIQUES, ILS FONCTIONNENT DE LA MÊME MANIÈRE, NOS CERVEAUX SE RESSEMBLENT EN TOUT, ET VOS ORGANES DE REPRODUCTION SONT PRESQUE LA COPIE CONFORME DES NÔTRES!

18

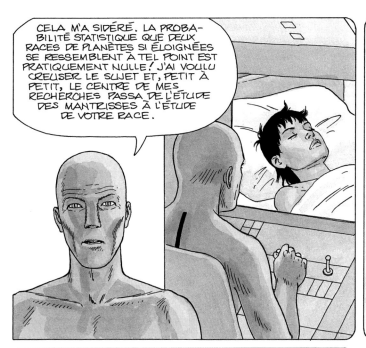

CELA M'A SIDÉRÉ. LA PROBA-
BILITÉ STATISTIQUE QUE DEUX
RACES DE PLANÈTES SI ÉLOIGNÉES
SE RESSEMBLENT À TEL POINT EST
PRATIQUEMENT NULLE! J'AI VOULU
CREUSER LE SUJET ET, PETIT À
PETIT, LE CENTRE DE MES
RECHERCHES PASSA DE L'ÉTUDE
DES MANTRISSES À L'ÉTUDE
DE VOTRE RACE.

"UNE RACE FASCINANTE, DOTÉE D'UNE CRÉATIVITÉ ARTIS-
TIQUE ÉPOUSTOUFLANTE, MAIS CAPABLE EN MÊME TEMPS
DE COMPORTEMENTS BRUTAUX, AGRESSIFS, IMPITOYABLES,
PROPRES AUX RACES PRIMITIVES."

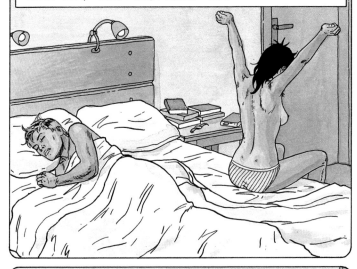

"JE ME SUIS RENDU COMPTE CEPENDANT QU'IL Y AVAIT UNE
DIVERSITÉ TRÈS GRANDE ENTRE LES INDIVIDUS DE VOTRE
RACE. À CÔTÉ D'ÊTRES MÉDIOCRES, MESQUINS, ÉGOÏSTES,
IL Y EN AVAIT D'AUTRES QUI, AU CONTRAIRE, SAVAIENT ÊTRE
GÉNÉREUX, BRILLANTS, ALTRUISTES."

"LE GROUPE DE PERSONNES QU'AVAIT CHOISI LA MANTRISSE
POUR LEUR OFFRIR SES GÉLULES ÉTAIT COMPOSÉ, NON PAR
HASARD, D'INDIVIDUS DE CE DERNIER TYPE. J'AI DONC
DÉCIDÉ DE LES SUIVRE DE PRÈS, DE LES CONNAÎTRE
PLUS INTIMEMENT."

"MON BUT ÉTAIT DE RÉUNIR DES ÉLÉMENTS QUI M'AIDE-
RAIENT À MONTRER PLUS TARD À MON PEUPLE QU'IL
EXISTAIT DES HUMAINS DE GRANDE QUALITÉ, AVEC QUI
ON POUVAIT PENSER ÉTABLIR DES CONTACTS PRÉPA-
RATOIRES."

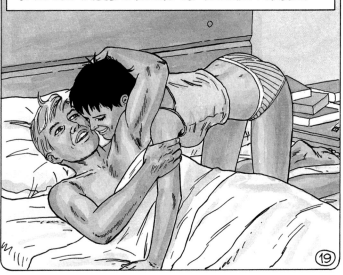

"JE ME SUIS DONC MIS À SUIVRE VOTRE GROUPE ASSIDÛMENT.
ET ÇA A ÉTÉ POUR MOI UNE EXPÉRIENCE FASCINANTE.
SURTOUT POUR QUELQU'UN COMME MOI, SEUL ET ISOLÉ
DANS SON VAISSEAU DEPUIS DE LONGUES ANNÉES."

⑲

"AVEC LE TEMPS, CHAQUE MEMBRE DE VOTRE GROUPE M'EST DEVENU FAMILIER, PROCHE. ET DANS CE PROCESSUS, UN PHÉNOMÈNE TOUT NATUREL SE FIT SENTIR: EN TANT QUE SPÉCIMEN MÂLE, J'AI ÉTÉ DE PLUS EN PLUS SENSIBLE AUX ATTRAITS DES REPRÉSENTANTES FÉMININES DE VOTRE GROUPE."

"IL FAUT DIRE QUE, PAR RAPPORT AUX FEMMES DE MA RACE, LES FEMMES HUMAINES SONT PLUS BELLES, PLUS SENSUELLES, À MON AVIS. C'EST AINSI QUE, TOUT SCIENTIFIQUE CHEVRONNÉ QUE JE PUISSE ÊTRE, J'AI ÉTÉ ATTEINT PAR CET ASPECT ÉMOTIONNEL DE LA CHOSE."

"ET PARMI TOUTES LES FEMMES DE VOTRE GROUPE, TRÈS TÔT ET TRÈS CLAIREMENT, VOUS M'ÊTES APPARUE COMME QUELQU'UN DE SPÉCIAL, QUELQU'UN POSSÉDANT UN CHARME, UN CHARISME PARTICULIERS..."

CLIC

J'AI TROUVÉ CELA SI EXTRAORDINAIRE QUE JE ME SUIS DIT QU'IL FALLAIT QUE JE VOUS RENCONTRE, QUE JE VOUS PARLE!... MÊME SI CELA ÉTAIT INTERDIT PAR LES LOIS DE MA CIVILISATION.

VOILÀ. JE CROIS AVOIR RÉPONDU À VOTRE QUESTION.

JE NE SAIS PAS QUOI DIRE... TOUT CELA EST SI... SI...

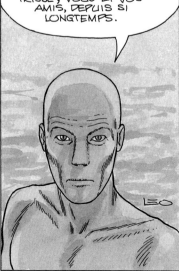

NE DITES RIEN, OU ALORS POSEZ-MOI TOUTES CES QUESTIONS QUI VOUS TRACASSENT SUR LA MANTRISSE, VOUS ET VOS AMIS, DEPUIS SI LONGTEMPS.

LEO

MAIS PARLONS À TABLE. JE MEURS DE FAIM. PAS VOUS?

TENEZ, GARDEZ-LA. JE ME SENTIRAIS UN PEU MAL À L'AISE SI JE METTAIS CETTE ROBE ICI, DANS CETTE SITUATION.

20

MAIS... C'EST DU CAFÉ, ÇA ! ET DU PAIN ! NOTRE PAIN !

OUI, J'AI APPRIS À APPRÉCIER CERTAINES DE VOS HABITUDES ALIMENTAIRES.

CE N'EST PAS QUELQUE CHOSE QUE VOUS AVEZ FAIT SPÉCIALEMENT À MON INTENTION ? SACHANT DEPUIS LONGTEMPS QUE VOUS ALLIEZ ME RENCONTRER ?

IL Y A DE ÇA AUSSI, C'EST VRAI.

BON, COMMENÇONS PAR UNE DES QUESTIONS CLÉS POUR NOUS : POURQUOI LA MANTRISSE DONNE-T-ELLE SES GÉLULES À UN PETIT GROUPE DE PERSONNES ? QUEL EST SON BUT ?

LA MANTRISSE D'ALDÉBARAN A ÉTÉ TRÈS SURPRISE ET PERPLEXE DEVANT L'ARRIVÉE DES HUMAINS SUR LA PLANÈTE. D'UN CÔTÉ CELA PERTURBAIT LE COMPLEXE PROCESSUS DE SON ADAPTATION À LA FAUNE LOCALE, MAIS D'UN AUTRE CÔTÉ, LES HUMAINS L'ONT INTRIGUÉE. ILS ÉTAIENT UNE RACE TRÈS ÉVOLUÉE ET, EN PLUS, ÉTONNAMMENT SEMBLABLES À CETTE AUTRE RACE QU'ELLE CONNAISSAIT SI BIEN, LA MIENNE.

ELLE A DONC COMMENCÉ À LES OBSERVER, À LES ÉTUDIER. ET ELLE A VITE DÉCOUVERT LES SURPRENANTS DÉFAUTS DE CES NOUVEAUX ARRIVANTS : LEUR AGRESSIVITÉ, LEUR MÉPRIS DE LA FAUNE AUTOCHTONE, LEUR CUPIDITÉ, LEUR CAPACITÉ À S'INFLIGER MUTUELLEMENT D'ATROCES SOUFFRANCES. CELA L'A CHOQUÉE PROFONDÉMENT, ET DANS UN PREMIER TEMPS ELLE A TOUT SIMPLEMENT PENSÉ À VOUS ÉLIMINER TOUS, POUR DÉFENDRE LA PLANÈTE.

MAIS, COMME MOI, ELLE S'EST APERÇUE QU'IL Y AVAIT PARMI VOUS DES GENS DE QUALITÉ, DES GENS CLAIREMENT AU-DESSUS DE LA MÉDIOCRITÉ PRÉDOMINANTE. ELLE A DONC DÉCIDÉ DE LES OBSERVER DE PLUS PRÈS ET DE CRÉER LES CONDITIONS POUR ENTRER EN DIALOGUE AVEC EUX.

LÉO

㉑

SEULEMENT, L'ESPÉRANCE DE VIE D'UN HUMAIN EST TRÈS COURTE À L'ÉCHELLE DE LA MANTRISSE : SES SEMBLABLES VIVENT PENDANT DES DIZAINES DE MILLIERS D'ANNÉES.

LES GÉLULES, EN PROLONGEANT VOTRE DURÉE DE VIE ET EN AMÉLIORANT VOTRE RÉSISTANCE AUX ACCIDENTS ET AUX MALADIES, SERVENT À RENDRE POSSIBLE LE LENT PROCESSUS D'ENTRÉE EN CONTACT AVEC ELLE.

C'EST SA FAÇON NATURELLE D'AGIR. C'EST CE QU'ELLE A FAIT AVEC MA RACE : ELLE A AUGMENTÉ NOTRE DURÉE DE VIE POUR POUVOIR AVOIR UN INTERLOCUTEUR À SA HAUTEUR. ET, ACCESSOIREMENT, POUR QUE NOUS L'AIDIONS À AVOIR UNE VIE PLUS AISÉE ET CONFORTABLE.

COMMENT ÇA ?

LA MANTRISSE NE PEUT PAS CONSTRUIRE DES MACHINES, PRODUIRE DE L'ÉNERGIE À GRANDE ÉCHELLE, EXTRAIRE DES MINÉRAUX, CULTIVER LA TERRE. SA CONFORMATION PHYSIQUE NE LE PERMET PAS. POUR LEUR VOYAGE INTERSTELLAIRE, PAR EXEMPLE, C'EST NOUS QUI LEUR AVONS CONSTRUIT LE VAISSEAU SPATIAL.

SI LA MANTRISSE EST UN ÊTRE ÉVOLUÉ, POURQUOI A-T-ELLE DÉTRUIT MON VILLAGE, MASSACRANT TOUS LES HABITANTS ? POURQUOI TUE-T-ELLE SI FACILEMENT LES HUMAINS, COMME ELLE A FAIT AVEC LES ANCIENNES AUTORITÉS D'ALDÉBARAN ET LEURS SOLDATS (*) ?

PARCE QUE CES MANTRISSES QUI SONT PARTIES COLONISER D'AUTRES PLANÈTES TRAVERSENT UNE PÉRIODE D'ADAPTATION TRÈS COMPLEXE, DURANT LAQUELLE ELLES PERDENT UNE PARTIE DE LEURS ACQUIS INTELLECTUELS. ELLES REDEVIENNENT EN QUELQUE SORTE UN PEU "SAUVAGES", ET RAISONNENT DE FAÇON UN PEU TROP PRIMAIRE : "SI CES GENS SONT NÉFASTES, JE LES DÉTRUIS."

OU, COMME DANS LE CAS DE VOTRE VILLAGE, QUAND ELLES TRAVERSENT CERTAINS CYCLES OÙ ELLES NE SONT QUE DES ANIMAUX, DES PRÉDATEURS QUI TUENT POUR MANGER SANS SE SOUCIER DE L'IDENTITÉ DE LA PROIE.

SUR ALDÉBARAN, JE SUPPOSE QU'À PRÉSENT LA MANTRISSE ACCEPTE SANS PROBLÈME LA PRÉSENCE DES HUMAINS, NON ?

OUI, SURTOUT APRÈS VOUS AVOIR AIDÉS À RÉGLER VOTRE ABSURDE PROBLÈME DE GOUVERNEMENT DICTATORIAL !

ET ICI, SUR BÉTELGEUSE ? COMMENT VOIENT-ELLES LA PRÉSENCE DES HUMAINS ?

LEO

㉒

(*) VOIR "ALDÉBARAN"

24

AH, ICI LA CHOSE EST UN PEU PLUS COMPLIQUÉE. MAIS JE PRÉFÈRE QUE CE SOIT UNE DES MANTRISSES ELLE-MÊME QUI VOUS RÉPONDE...

COMMENT ÇA ?

EN VOUS METTANT EN CONTACT DIRECT AVEC ELLE POUR QUE VOUS PUISSIEZ DIALOGUER.

MAIS EST-CE FAISABLE ? SUR ALDÉBARAN, ÇA FAIT DES SIÈCLES QU'ON ESSAIE EN VAIN DE COMMUNIQUER AVEC LA MANTRISSE !

ICI LES CONDITIONS SONT DIFFÉRENTES ET J'AI DÉJÀ, DISONS, PRÉPARÉ LE TERRAIN. JE SUIS SÛR QUE C'EST FAISABLE.

ÇA ALORS !... DIALOGUER AVEC LA MANTRISSE ! QUAND POURRIONS-NOUS ESSAYER ÇA ?

TOUT DE SUITE SI VOUS VOULEZ.

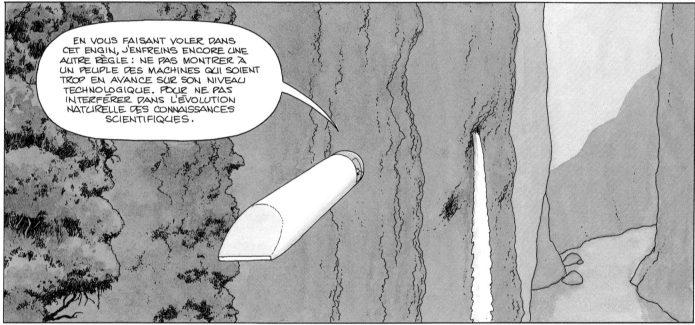

EN VOUS FAISANT VOLER DANS CET ENGIN, J'ENFREINS ENCORE UNE AUTRE RÈGLE : NE PAS MONTRER À UN PEUPLE DES MACHINES QUI SOIENT TROP EN AVANCE SUR SON NIVEAU TECHNOLOGIQUE. POUR NE PAS INTERFÉRER DANS L'ÉVOLUTION NATURELLE DES CONNAISSANCES SCIENTIFIQUES.

VOTRE PEUPLE EST BEAUCOUP PLUS AVANCÉ QUE LE MIEN ?

OUI. MÊME SI NOTRE CIVILISATION EST BIEN PLUS JEUNE QUE LA VÔTRE. SEULEMENT, NOUS N'AVONS PAS GÂCHÉ NOTRE ÉNERGIE DANS AUTANT DE GUERRES DESTRUCTRICES COMME LES HUMAINS. ET PUIS LES MANTRISSES NOUS ONT AIDÉS...

LEO

C'EST ICI. VOUS VOUS SOUVENEZ DE CET ENDROIT ?

OUI ! NOUS L'AVONS EXPLORÉ PENDANT NOTRE EXPÉDITION. IL Y AVAIT UNE ESPÈCE DE TEMPLE À L'INTÉRIEUR.

㉓

IL N'Y A PAS DE DANGER? NOUS N'AVONS PAS D'ARMES...

NON, IL N'Y A PAS D'ANIMAUX DANGEREUX ICI. C'EST UN ENDROIT CONTRÔLÉ PAR LA MANTRISSE.

EN TOUT CAS, JE TROUVE VOS ARMES BIEN TROP DANGEREUSES. ET VOUS LES UTILISEZ AVEC UNE INSOUCIANCE TERRIFIANTE. CE QUI VOUS EST ARRIVÉ, VOTRE BLESSURE, M'A PROFONDÉMENT CHOQUÉ! VOUS AVEZ FAILLI MOURIR!

ÇA A ÉTÉ UN ACCIDENT. MON COLLÈGUE N'A PAS FAIT EXPRÈS DE ME TIRER DESSUS.

MAIS, POUR COMMENCER, IL N'AVAIT PAS À UTILISER LA FORCE CONTRE CETTE JEUNE FEMME. ET IL N'AVAIT PAS À FAIRE APPEL À CETTE ARME EFFROYABLE, MORTELLE, POUR EMPÊCHER L'APPROCHE DE L'IUM, DONT IL AVAIT LUI-MÊME PROVOQUÉ L'ATTAQUE!

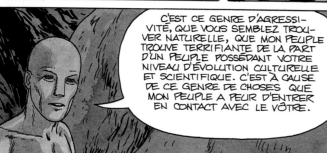

C'EST CE GENRE D'AGRESSIVITÉ, QUE VOUS SEMBLEZ TROUVER NATURELLE, QUE MON PEUPLE TROUVE TERRIFIANTE DE LA PART D'UN PEUPLE POSSÉDANT VOTRE NIVEAU D'ÉVOLUTION CULTURELLE ET SCIENTIFIQUE. C'EST À CAUSE DE CE GENRE DE CHOSES QUE MON PEUPLE A PEUR D'ENTRER EN CONTACT AVEC LE VÔTRE.

JE VOUS COMPRENDS... J'AI PARFOIS MOI-MÊME HONTE D'APPARTENIR À LA RACE HUMAINE!...

CET ENDROIT EST EFFECTIVEMENT UNE ESPÈCE DE TEMPLE POUR LES IUMS. C'EST ICI QU'ILS VIENNENT "DIALOGUER" AVEC LA MANTRISSE QUI EST, EN QUELQUE SORTE, LEUR "MÈRE".

CES DESSINS SERVENT À AIDER LES IUMS À ENTRER EN LIAISON AVEC ELLE : ILS SUIVENT CES COURBES AVEC LES YEUX ET LE MOUVEMENT RÉSULTANT DES GLOBES OCULAIRES A LE POUVOIR DE PROVOQUER CHEZ EUX UNE ESPÈCE DE TRANSE RÉCEPTIVE.

LÀ, ILS BRÛLENT DES PLANTES DONT LES PROPRIÉTÉS LÉGÈREMENT HALLUCINOGÈNES FAVORISENT LEUR ENTRÉE EN TRANSE.

LÉO

24

MAIS LES IUMS ONT UN CERVEAU TROP DIFFÉRENT DU NÔTRE, ET CE QUI MARCHE POUR EUX NE MARCHERA CERTAINEMENT PAS POUR NOUS. VOUS DEVRIEZ FAIRE COMME MON PEUPLE : CONTENTEZ-VOUS DE VOUS CONCENTRER SUR LA MANTRISSE, OUVREZ VOTRE ESPRIT ET ATTENDEZ PATIEMMENT.

ELLE A DÉJÀ REPÉRÉ NOTRE PRÉSENCE. SON ORGANE DE COMMUNICATION S'APPROCHE.

DÉTENDEZ-VOUS, ALLONGEZ-VOUS PAR TERRE SI VOUS VOULEZ. JE VOUS ATTENDS DEHORS. PRENEZ TOUT VOTRE TEMPS.

UNE HEURE PLUS TARD...

ALORS ? ÇA A MARCHÉ ?

ET COMMENT ! ÇA A ÉTÉ UNE EXPÉRIENCE TRÈS... TRÈS IMPRESSIONNANTE !...

J'AI PARLÉ AVEC LA MANTRISSE !... INCROYABLE ! IN-CROYA-BLE !

OÙ ALLONS-NOUS ?

JE CROIS QU'APRÈS CE QUE JE VOUS AI RACONTÉ ET TOUT CE QUE VOUS AVEZ APPRIS DE LA MANTRISSE, VOUS AVEZ BESOIN D'UNE PETITE PAUSE POUR QUE VOUS PUISSIEZ RESTER UN MOMENT TOUTE SEULE AVEC VOUS-MÊME.

LÉO

(25)

JE VOUS LAISSE APPRÉCIER LE PAYSAGE TRANQUILLEMENT. JE VAIS ME REPOSER UN PEU À L'ARRIÈRE. LE VOL EST AUTOMATIQUE, BIEN SÛR...

MERCI.

LA MER !

26

OUI... J'AI DÉCOUVERT UNE PETITE PLAGE TRÈS AGRÉABLE. ÇA VOUS DIT, UN BAIN DE MER ?

J'ADORE LA MER ! JE SUIS NÉE ET J'AI VÉCU TOUTE MON ENFANCE AU BORD DE LA MER. QUAND JE M'EN ÉLOIGNE TROP LONGTEMPS, ÇA ME MANQUE !

DITES... COMMENT ÇA SE FAIT QUE VOUS AYEZ DANS VOTRE ARMOIRE UN MAILLOT DE BAIN POUR FEMME ? ET EXACTEMENT À MA TAILLE...

JE VOUS L'AI DÉJÀ DIT, KIM, JE SUIS DEPUIS LONG-TEMPS OBSÉDÉ PAR CETTE REN-CONTRE AVEC VOUS. JE L'AI PRÉPARÉE AVEC SOIN !

HUM... ET DANS VOTRE PLANNING, QU'EST-CE QU'ON EST CENSÉ FAIRE APRÈS LE BAIN DE MER ?

ISO

(27)

29

NON, KIM, VOUS ÊTES INJUSTE. IL NE S'AGIT PAS DE ÇA...

PARLEZ-MOI UN PEU DE VOUS. VOUS CONNAISSEZ TOUT SUR MOI, ET MOI JE NE SAIS RIEN DE VOUS !

JE SUIS UN SCIENTIFIQUE TRÈS RESPECTÉ PARMI LES MIENS, MAIS JE SUIS AUSSI CONSIDÉRÉ COMME UN EXCENTRIQUE, UN REBELLE, UN FAUTEUR DE TROUBLES. C'EST POUR ÇA, D'AILLEURS, QU'ON M'A PRIÉ DE LAISSER MON POSTE DE PROFESSEUR À L'UNIVERSITÉ...

...POUR VENIR M'ISOLER DANS CES PLANÈTES LOINTAINES AFIN DE MENER CETTE ÉTUDE DE LONGUE HALEINE SUR LES MANTRISSES ÉMIGRÉES. MAIS, APRÈS L'APPARITION DES HUMAINS, LA PRÉSENCE D'UN REPRÉSENTANT DE MON PEUPLE SUR ALDÉBARAN ET BÉTELGEUSE EST DEVENUE UN SUJET TRÈS SENSIBLE.

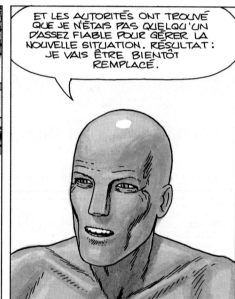

ET LES AUTORITÉS ONT TROUVÉ QUE JE N'ÉTAIS PAS QUELQU'UN D'ASSEZ FIABLE POUR GÉRER LA NOUVELLE SITUATION. RÉSULTAT : JE VAIS ÊTRE BIENTÔT REMPLACÉ.

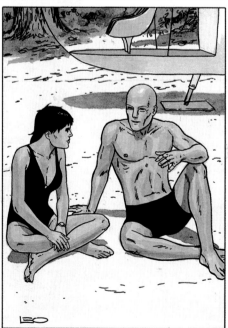

LEO

28

JE CROIS QU'IL EST TEMPS QUE JE RENTRE. MES AMIS DOIVENT SE FAIRE DU SOUCI...

JE VOUDRAIS VOUS DEMANDER UNE CHOSE...

OUI?

ENLEVEZ VOTRE PEIGNOIR. LAISSEZ-MOI ADMIRER VOTRE CORPS.

QUOI ?!

QU'EST-CE QUE VOUS...

?!

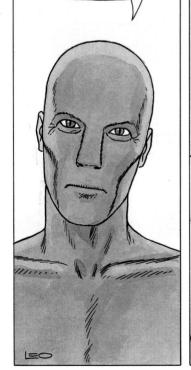

KIM, JE VAIS PARTIR. POUR TOUJOURS. ET POUR MOI VOUS REPRÉSENTEZ QUELQUE CHOSE DE ... DE TRÈS IMPORTANT. VOUS ÊTES TRÈS BELLE, VOTRE CORPS EST TRÈS BEAU : JE VOUDRAIS POUVOIR GARDER VOTRE IMAGE DANS MA MÉMOIRE EN PARTANT. EST-CE TROP DEMANDER ?

LEO

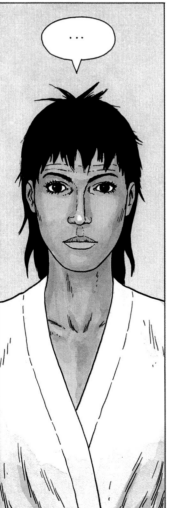

...

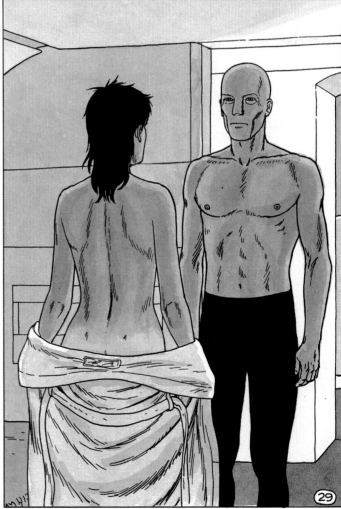

㉙

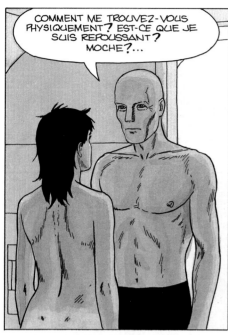

COMMENT ME TROUVEZ-VOUS PHYSIQUEMENT ? EST-CE QUE JE SUIS REPOUSSANT ? MOCHE ?...

NON. VOTRE VISAGE ME SEMBLE ÉTRANGE, MAIS AGRÉABLE. VOTRE CORPS EST TRÈS BEAU.

JE PEUX VOUS TOUCHER ?

OUI.

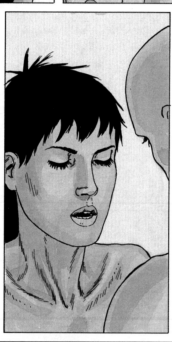

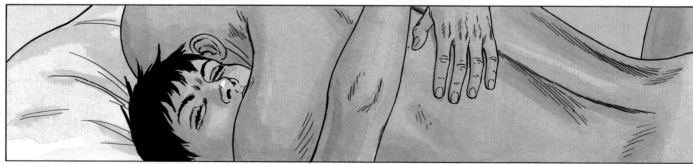

LEO

③⓪

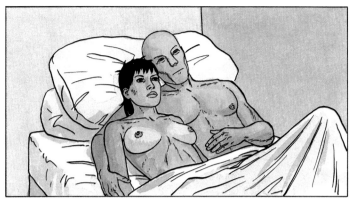

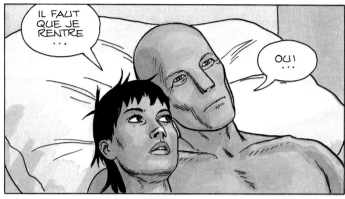

IL FAUT QUE JE RENTRE...

OUI...

BIP

QUE SE PASSE-T-IL?

NOUS SOMMES PROCHES DE VOTRE CAMPEMENT ET IL Y A UN AUTRE VÉHICULE DANS LES PARAGES. JE NE DOIS PAS ME FAIRE VOIR...

UN AUTRE VÉHICULE?!... C'EST SÛREMENT L'AÉROJEEP: LES GENS DU VILLAGE NOUS ONT ENFIN RETROUVÉS!

(31)

IL VAUT MIEUX QUE JE VOUS LAISSE ICI. VOTRE AMI IUM VA VENIR VOUS CHER-CHER. JE L'AI DÉJÀ APPELÉ.

JE NE VOUS REVERRAI PLUS JAMAIS ?...

C'EST CELA, MALHEUREUSEMENT. JE PARS DÉFINITIVE-MENT, ET IL N'Y AURA AUCUNE POSSIBILITÉ DE CONTACT ENTRE NOUS.

JE NE VOUS OUBLIERAI JAMAIS, KIM... JE...

NE DITES PLUS RIEN. RESTONS-EN LÀ...

CE N'EST PAS L'AÉROJEEP ⁉

ALEXA !

KIM !

32

MAIS QU'EST-CE QUE TU FAIS ICI ?!
JE TE CROYAIS MORTE, KIM ! TOUT LE MONDE TE CROYAIT MORTE !
CALME-TOI, CALME-TOI... JE SUIS LÀ ET JE SUIS BIEN VIVANTE !...
EXCUSE-MOI... JE...
MAIS D'OÙ SORS-TU ? COMMENT ES-TU ARRIVÉE SUR BÉTELGEUSE ?
AH, C'EST UNE LONGUE HISTOIRE, KIM ! JE TE RACONTERAI ÇA PLUS TARD. AVANT TOUTE CHOSE, JE VAIS VOUS RAMENER AU VILLAGE. J'AI DÉJÀ ANNONCÉ À MARC ET À PAD QUE TU ÉTAIS VIVANTE, ILS ONT HÂTE DE TE REVOIR !
MARC ET MONSIEUR PAD SONT VENUS AVEC TOI !
COMMENT AS-TU TROUVÉ NOTRE CAMPEMENT ? QUE FAISAIS-TU DANS LES PARAGES ?
JE CHERCHAIS TA... TA DÉPOUILLE, KIM. JE ME REFUSAIS DE RENTRER À ALDÉBARAN AVANT D'AVOIR TROUVÉ TON CORPS...
CELA FAIT DES SEMAINES QUE JE FOUILLE CES CAVERNES COMME UNE FOLLE ! ... MARC ET PAD M'ACCOMPAGNAIENT AU DÉBUT, MAIS ILS ONT FINI PAR PERDRE TOUT ESPOIR...
LEO
MAIS JE TE CHERCHAIS DE L'AUTRE CÔTÉ DU FLEUVE, LE CÔTÉ OÙ TU AVAIS DISPARU...
... CE N'EST QU'AUJOURD'HUI QUE, PAR HASARD, EN FAISANT UN TOUR PLUS LARGE POUR RENTRER AU VILLAGE, J'AI REPÉRÉ VOTRE CAMPEMENT.
33

PLUS TARD, DANS LE VILLAGE DU DÉSERT, ON FÊTE LE RETOUR DE KIM ET DES AUTRES.

MAIS OÙ SONT PASSÉES KIM ET ALEXA? QUELQU'UN LES A VUES?

ELLES SONT LÀ, DEHORS, À L'ARRIÈRE, ET ÇA S'ENGUEULE FERME! LA GAMINE EST FURIBARDE...

AH BON!...

APRÈS COUP, MAINTENANT QU'ON SAIT QUE TU N'AVAIS PAS BESOIN DE MON AIDE, BIEN SÛR QUE MON ACTE PARAÎT DISPROPORTIONNÉ. MAIS CE N'ÉTAIT PAS LE CAS QUAND J'AI PRIS LA DÉCISION, LÀ-BAS, SUR ALDÉBARAN, SANS AUCUNE NOUVELLE DE TOI!

MÊME SI J'ÉTAIS EN DANGER, VOLER UNE FUSÉE INTERSTELLAIRE C'EST DE LA PURE FOLIE, ALEXA. C'EST IDIOT! ET TU N'AS EU AUCUN SCRUPULE EN ENTRAÎNANT MARC DANS TA BÊTISE! C'EST IGNOBLE, ALEXA!

JE T'AI DÉJÀ DIT QUE JE VAIS ASSUMER TOUTE LA RESPONSABILITÉ. JE COMPTE FAIRE EN SORTE QUE NI MARC NI PAD NE SOIENT PÉNALISÉS!

BIEN SÛR! SAINTE ALEXA EST TOUJOURS PRÊTE À SE SACRIFIER POUR LES AUTRES...

TOUJOURS PRÊTE À TOUT ASSUMER, À TOUT CONTRÔLER. ALEXA LA LUCIDE, ALEXA L'HYPEREFFICACE, ALEXA LA DÉCIDÉE. BÉTELGEUSE ÉTAIT MA MISSION, LA MISSION QUE TOI-MÊME TU M'AVAIS CONFIÉE...

TU AURAIS PU AVOIR UN PEU PLUS CONFIANCE EN MOI, AVOIR ATTENDU PLUS LONGTEMPS, AVANT DE TE PRÉCIPITER COMME UNE FOLLE POUR VENIR ME CHERCHER PAR LA MAIN...

BONNE NUIT, ALEXA.

NE SOIS PAS TROP SÉVÈRE AVEC ELLE, KIM. SUR ALDÉBARAN, NOUS ÉTIONS CONVAINCUS QU'IL FALLAIT VENIR T'AIDER SOUS PEINE DE NE PLUS JAMAIS TE REVOIR...

JE NE VEUX PLUS PARLER DE ÇA EN CE MOMENT, MARC. JE SUIS TRÈS FATIGUÉE...

34

D'ACCORD, D'ACCORD... TU ...TU VAS DOR- MIR OÙ ?

LEILAH M'A PRÊTÉ SA MAISON.

JE... HEU... NOUS N'AVONS PRESQUE PAS EU L'OCCASION DE PARLER DEPUIS TON ARRI- VÉE.... JE... JE MEURS D'ENVIE DE DORMIR AVEC TOI. TOUTE LA SOIRÉE, J'AI DÛ ME RETE- NIR POUR NE PAS TE PREN- DRE DANS MES BRAS, KIM.

NON, MARC, JE NE PEN- SE PAS QUE CE SOIT UNE BONNE IDÉE. DEPUIS NOTRE SÉPARATION, J'AI DÛ CONS- TRUIRE UN TAS DE BARRIÈRES POUR POUVOIR TENIR LE COUP. JE NE PEUX PAS LES ENLEVER COMME ÇA, D'UN COUP.

BONNE NUIT, MARC.

TOC TOC TOC

KIM ?

VRAIMENT DÉSOLÉE DE TE RÉVEILLER, KIM ! MAIS DONOVAN ET MENEGAZ NE CESSENT DE M'APPELER : ILS PIAFFENT D'IMPATIENCE POUR TE VOIR. ET ILS VEULENT SAVOIR SI TU ACCEPTES QU'ILS VIENNENT AVEC DIXON.

L'ÉNERVANT DIXON !... BIEN SÛR QU'IL PEUT VENIR. JE VEUX QU'IL ÉCOUTE CE QUE J'AI À DIRE.

LÉO

35

37

RAVI DE VOUS REVOIR EN PLEINE FORME, MADEMOISELLE! VOUS ÊTES VRAIMENT UNE FORCE DE LA NATURE!

JE SUPPOSE QU'IL NE SERT À RIEN QUE JE VOUS DISE QUE JE REGRETTE PROFONDÉMENT CE QUI S'EST PASSÉ. MAIS JE VOUDRAIS QUE VOUS SACHIEZ QUE JE NE SUIS PAS FIER DE CERTAINES VACHERIES QUE JE VOUS AI FAITES ET QUE... J'AI ÉTÉ TRÈS CONTENT D'APPRENDRE QUE VOUS AVIEZ SURVÉCU.

VENEZ PAR LÀ, S'IL VOUS PLAÎT! NOUS AVONS TOUS HÂTE DE SAVOIR CE QUE MADE-MOISELLE KELLER A À NOUS RACONTER!

...UNE DE CES DEUX MANTRISSES VIT ENFOUIE SOUS TERRE. LA PARTIE PRINCIPALE DE SON CORPS VIT DANS UNE GRANDE CAVERNE UN PEU PLUS EN AVAL DU BARRAGE QUE NOUS AVONS RENCONTRÉ DANS NOTRE EXPÉDITION. MAIS ELLE ÉTEND DES PROLONGEMENTS DE SON CORPS SOUS FORME DE FILAMENTS QUI SE DÉPLOIENT TOUT AUTOUR D'ELLE DANS UN GIGANTESQUE RÉSEAU SOUTERRAIN DE CENTAINES DE KILOMÈTRES.

ILS ARRIVENT MÊME JUSQU'ICI. À TRAVERS CES FILAMENTS SENSORIELS, ELLE CAPTE CE QUI SE PASSE AUTOUR. C'EST AINSI QU'ELLE A PU DÉTECTER VOTRE ARRIVÉE SUR BÉTELGEUSE ET PUIS ACCOMPAGNER VOTRE INSTALLA- TION ICI. MAIS ELLE POSSÈDE AUSSI UN AUTRE MOYEN D'OBSERVATION: LES IUMS.

ELLE A ÉTABLI AVEC LES IUMS – UNE RACE LOCALE QU'ELLE A MODIFIÉE – UNE RELATION DE SYMBIOSE. ILS PEUVENT COMMUNI- QUER ENTRE EUX, ET ILS LUI RACON- TENT CE QU'ILS OBSERVENT DANS LEURS DÉAMBULATIONS.

LÉO

36

CES IUMS ÉTAIENT AU DÉPART UNE RACE DÉJÀ TRÈS INTELLIGENTE ET GRÂCE AU CONTACT ET AU DIALOGUE AVEC LA MANTRISSE, ILS ONT ENCORE PROGRESSÉ. VOTRE FAÇON DE LES TRAITER À VOTRE ARRIVÉE ICI A PROFONDÉMENT CHOQUÉ LES MANTRISSES. ET LA MORT DE CET IUM TUÉ PAR MONSIEUR DIXON A DÉFINITIVEMENT CONDAMNÉ VOTRE PRÉSENCE ICI.

LES MANTRISSES DE BÉTELGEUSE ONT DÉCIDÉ QU'IL FALLAIT EMPÊCHER L'ÉTABLISSEMENT DES HUMAINS. ET ELLES ONT PRIS DES MESURES DANS CE SENS: LA PREMIÈRE, SIMPLE MAIS DÉVASTATRICE, A ÉTÉ LA CRÉATION D'UN VIRUS INFORMATIQUE QUI A MIS HORS D'USAGE TOUS LES ORDINATEURS.

"CELUI DU "TSIOLKOWSKY" INCLUS, PROVOQUANT LA MORT DE TOUS CES GENS LÀ-HAUT. L'HABILETÉ DES MANTRISSES À MANIPULER À DISTANCE LES ORDINATEURS VIENT DU FAIT QUE LEUR ORGANISME UTILISE COMME CENTRE DE LA PENSÉE ET DE LA MÉMOIRE NON SEULEMENT UN CERVEAU PHYSIOLOGIQUEMENT SEMBLABLE AU NÔTRE, MAIS AUSSI DES ORGANES À BASE DE CRISTAUX DE SILICE, COMME NOS ORDINATEURS."

LE PROCHAIN PAS, QU'ELLES N'ONT PAS ENCORE FRANCHI, HEUREUSEMENT, C'EST DE RÉPANDRE PARMI VOUS UN VIRUS, UN VRAI VIRUS BIOLOGIQUE CETTE FOIS, QUI DEVRAIT VITE VOUS DÉCIMER.

DANS MON CONTACT AVEC ELLES, J'AI RÉUSSI À LES CONVAINCRE DE LAISSER TOMBER CETTE DERNIÈRE ÉTAPE, SOUS LA PROMESSE QUE LES HUMAINS ALLAIENT METTRE DÉFINITIVEMENT FIN AU PROCESSUS DE COLONISATION DE BÉTELGEUSE.

J'AI RÉUSSI AUSSI À LEUR FAIRE ACCEPTER QU'UN PETIT GROUPE D'HUMAINS RESTE SUR PLACE, SANS INTENTION DE COLONISER. COMME UNE SORTE D'AMBASSADE DES HUMAINS FACE À CES MANTRISSES D'ICI.

VOILÀ, EN GROS, CE QUE J'AI APPRIS DE MON CONTACT AVEC UNE DES MANTRISSES.

VOUS N'ESPÉREZ TOUT DE MÊME PAS QUE NOUS ALLONS VOUS CROIRE SUR PAROLE, COMME ÇA. CE QUE VOUS RACONTEZ EST TROP EXTRAORDINAIRE ET TROP LOURD DE CONSÉQUENCES! L'ABANDON DU PROJET DE BÉTELGEUSE REPRÉSENTE DES MILLIARDS DE DOLLARS DE PERTES POUR NOS INVESTISSEURS!

JE CRAINS, MONSIEUR MENEGAZ, QUE LES MANTRISSES NE S'EN FOUTENT ROYALEMENT, DES POSSIBLES DÉBOIRES FINANCIERS DE VOS INVESTISSEURS. JE VOUS FAIS PART ICI D'UNE TERRIBLE MENACE QUI PÈSE SUR VOTRE COMMUNAUTÉ ET VOUS OSEZ ME PARLER D'INVESTISSEMENTS ET DE COMPTABILITÉ!

37

PAS SI VITE, MADEMOISELLE ! VOTRE FAÇON DE VOIR N'EST PAS LA MIENNE ! J'ATTENDS TOUJOURS QUE VOUS APPORTIEZ DES PREUVES DE CE QUE VOUS AVANCEZ !

SI VOUS REGARDEZ BIEN, VOUS VOUS APERCE-VREZ QU'IL Y A DE TRÈS FINS FILAMENTS QUI POIN-TENT À LA FENÊTRE.

CELA SIGNIFIE QUE LA MAN-TRISSE SUIT NOTRE CONVERSATION. NON PAS MOT À MOT, MAIS PLUTÔT EN "CAPTANT" NOS PENSÉES. C'EST COMME ÇA QU'ELLES COMMUNIQUENT...

ELLE A DONC COMPRIS QUE VOUS ME DEMANDIEZ DE PROUVER MES DIRES. C'EST ELLE QUI LE FERA, COMME NOUS SOMMES CONVENUES LORS DE NOTRE CONTACT. JE VOUS INVITE DONC À ME SUIVRE À L'EXTÉRIEUR.

QU'EST-CE QU'IL Y A ? JE NE VOIS RIEN !...

LÀ, TAZIO ! LÀ !

38

40

NON, JE CROIS QUE JE T'AI BLESSÉE HIER AVEC MES REPROCHES UN PEU TROP VIFS... VIENS, J'AI DES MILLIONS DE CHOSES À TE RACONTER, TROUVONS-NOUS UN COIN TRANQUILLE...

J'AI RÉUSSI À COMMUNIQUER AVEC LA MANTRISSE, ALEXA, TU TE RENDS COMPTE ? J'AI APPRIS D'ELLE UN TAS DE CHOSES !...

COMMENT AS-TU FAIT ?! NOUS AVONS PASSÉ TOUTE NOTRE VIE, DRISS ET MOI, À ESSAYER DE L'APPROCHER, SANS SUCCÈS !

QUELQU'UN M'A AIDÉE, ALEXA.

COMMENT ÇA ? QUI ÇA ?

QUELQU'UN VENU D'AILLEURS. UN ÊTRE VENU D'UNE AUTRE PLANÈTE.

...

KIM, TU VEUX DIRE QUE TU AS RENCONTRÉ UN... UN EXTRATERRESTRE ?!...

OUI ! OUI ! ET NOUS AVONS PASSÉ UNE JOURNÉE ENTIÈRE À PARLER !

AH, ALEXA, LAISSE-MOI TOUT TE RACONTER. TU NE VAS PAS ME CROIRE !...

VOILÀ ! LA LIAISON EST FAITE. L'ORDINATEUR DU "TSIOLKOWSKY" RÉPOND TOUT À FAIT NORMALEMENT.

LE "TSIOLKOWSKY" A REPRIS VIE!

INCROYABLE!

JE VAIS LUI DONNER L'ORDRE DE REMETTRE EN ÉTAT LE POSTE DE PILOTAGE ET SES ANNEXES, PUIS IL NOUS FAUDRA UN GROUPE DE VOLONTAIRES POUR ALLER LÀ-HAUT AVEC TOI ET MOI POUR... POUR NOUS OCCUPER DES CORPS.

OUI, ET IL FAUDRA INCLURE QUELQUES PILOTES, POUR POUVOIR RAMENER LES DEUX NAVETTES QUI SONT RESTÉES INTACTES...

QUAND POURRONS-NOUS FAIRE CE SAUT JUSQU'À L'ORBITE, MARC?

QUAND VOUS VOUDREZ!

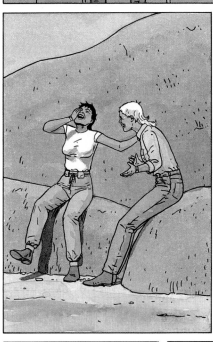

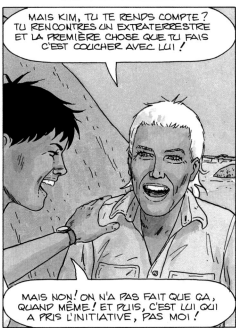

MAIS KIM, TU TE RENDS COMPTE? TU RENCONTRES UN EXTRATERRESTRE ET LA PREMIÈRE CHOSE QUE TU FAIS C'EST COUCHER AVEC LUI!

MAIS NON! ON N'A PAS FAIT QUE ÇA, QUAND MÊME! ET PUIS, C'EST LUI QUI A PRIS L'INITIATIVE, PAS MOI!

ET ÇA A ÉTÉ COMMENT?...

IL AVAIT UN CORPS PARFAIT, ALEXA, À LA PEAU TRÈS DOUCE! ET SON... SON...

NON!... ÇA ME GÊNE DE PARLER DE CES DÉTAILS AVEC TOI...

PLUS SÉRIEUSEMENT, KIM, CETTE RENCONTRE ET TON CONTACT AVEC LA MANTRISSE TE METTENT DANS UNE POSITION TRÈS PARTICULIÈRE... TU DEVIENS UN PERSONNAGE CLÉ, ET TON NOM VA ENTRER DANS LA PETITE LISTE DES NOMS QUI MARQUENT LES ÉTAPES DE L'ÉVOLUTION DE L'HISTOIRE DE L'HUMANITÉ.

ÇA PEUT PARAÎTRE UN PEU RONFLANT, MAIS C'EST LA VÉRITÉ. EN AS-TU CONSCIENCE? TU ES LE PREMIER HUMAIN À AVOIR COMMUNIQUÉ AVEC DES EXTRATERRESTRES INTELLIGENTS, KIM!

LEO

㊶

OUI... ET ÇA ME FAIT VACHE-MENT PEUR! JE PENSE QU'IL VAUT MIEUX, AU MOINS POUR LE MOMENT, QUE JE NE PARLE PAS DE SVEN, NI, SURTOUT, DE... DE CE QUE J'AI FAIT AVEC LUI.

JE LE PENSE AUSSI. DANS UN PREMIER TEMPS, TIENS-TOI À LA VERSION QUE TOUT CE QUE TU AS APPRIS VIENT D'UN CONTACT QUE TU AS RÉUSSI À ÉTABLIR PAR TOI-MÊME AVEC LA MANTRISSE.

AH, ELLES SE SONT RÉCONCILIÉES, HEUREUSEMENT! C'EST MIEUX COMME ÇA.

MAIS, ET VOUS? QUE FAIT UNE BEAUTÉ COMME VOUS DANS UN ENDROIT PAREIL?

HECTOR!

JE PEUX TE PARLER?

BIEN SÛR.

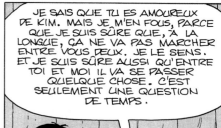

JE SAIS QUE TU ES AMOUREUX DE KIM. MAIS JE M'EN FOUS, PARCE QUE JE SUIS SÛRE QUE, À LA LONGUE, ÇA NE VA PAS MARCHER ENTRE VOUS DEUX. JE LE SENS. ET JE SUIS SÛRE AUSSI QU'ENTRE TOI ET MOI IL VA SE PASSER QUELQUE CHOSE. C'EST SEULEMENT UNE QUESTION DE TEMPS.

VOILÀ. C'EST ÇA QUE JE VOULAIS TE DIRE.

AH, UN DÉTAIL : JE N'AI QUE 18 ANS. MES SEINS VONT ENCORE GRANDIR, TU SAIS. JE DIS ÇA AU CAS OÙ TU SERAIS UN PEU PORTÉ SUR LES FILLES À GROS SEINS...

LEO

TU ES ADORABLE, MAÏ LAN!... ET NE T'EN FAIS PAS : JE TROUVE TES SEINS TRÈS JOLIS.

42

EST-CE QUE TU PEUX VENIR AVEC NOUS UN MOMENT, KIM ? NOUS VOUDRIONS TE PARLER. IL Y A UN TAS DE DÉCISIONS À PRENDRE ET NOUS AIMERIONS BIEN EN DISCUTER AVEC TOI.

JE SUIS À VOUS.

KIM, TU TE SOUVIENS QUAND JE T'AI DIT QU'EN DÉPIT DE TON ÂGE ET DE TON MANQUE D'EXPÉRIENCE TU ÉTAIS PARFAITEMENT CAPABLE D'ASSUMER CETTE MISSION ? JE NE M'ÉTAIS PAS TROMPÉE, HEIN ?

UN PEU PLUS TARD...

NOUS AVONS BIEN TRAVAILLÉ. DEMAIN, NOUS ALLONS POUVOIR DÉJÀ RÉUNIR TOUT LE MONDE POUR LES METTRE AU COURANT DE LA NOUVELLE SITUATION ET LEUR EXPLIQUER LES DÉCISIONS QUI S'IMPOSENT...

OUI... JE NE PENSE PAS QU'IL Y AIT DES DIFFICULTÉS.

BON, JE VAIS ME COUCHER. ÇA A ÉTÉ UNE LONGUE JOURNÉE... JE ME CHARGE DE PRÉVENIR MARC AU SUJET DU VOL DE DEMAIN.

AH, VOILÀ LA PETITE KIM ! LEVONS NOS VERRES EN HOMMAGE À CETTE SACRÉE GAMINE QUI A SU METTRE DE L'ORDRE DANS LE BORDEL QUI RÉGNAIT PARMI VOUS, BANDE D'INCAPABLES !

HOURRA !

FAITES GAFFE, VOUS AUTRES ! DE TOUT CE QU'IL RACONTE, LA MOITIÉ C'EST DU PIPEAU !

QUE VOUS ÊTES INJUSTE, MADEMOISELLE !

JE CHERCHE MARC. QUELQU'UN L'A VU ?

IL ME SEMBLE QU'IL EST ALLÉ DANS LA NAVETTE, KIM.

LELO

43

MARC?

AH... DÉSOLÉE ! VOUS AURIEZ DÛ FERMER LA PORTE, NON ?

KIM, MARC M'A DIT QU'IL N'Y AVAIT PLUS RIEN ENTRE VOUS DEUX. C'EST ÇA, NON ? PARCE QUE MOI, JE N'AI PAS PU LUI RÉSISTER. JE LE TROUVE BEAU COMME UN DIEU !

IL N'Y A AUCUN PROBLÈME, INGE. JE SUIS VENUE SEULEMENT LUI DIRE QUE LE VOL JUSQU'À L'ORBITE AURA LIEU DEMAIN SOIR. D'ACCORD, MARC ?

QUELQUE CHOSE NE VA PAS, JEUNE FILLE ?

44

TU AS L'AIR TRISTE...

MOI?... NON... QU'EST-CE QUE TU BOIS?

DU WHISKY, DU VRAI. T'EN VEUX?

ALORS? QUELS SONT TES PLANS?

MARC ET MOI RENTRONS À ALDÉBARAN DÈS QUE POSSIBLE : CHAQUE JOUR ÉCOULÉ JOUE CONTRE NOUS. LA FILLE BLONDE - COMMENT ELLE S'APPELLE?... INGE - NOUS ACCOMPAGNERA, AINSI QUE QUELQUES PERSONNES QUI NÉCESSITENT DES SOINS MÉDICAUX PLUS URGENTS.

BIEN... JE VAIS TOUT FAIRE, SUR TERRE, POUR UTILISER MON NOUVEAU PRESTIGE EN TA FAVEUR. JE VAIS LEUR DIRE QUE J'AI BESOIN DE TOI ICI. MAIS JE PENSE QUE TU N'ÉCHAPPERAS PAS À UN SÉJOUR PLUS OU MOINS LONG EN PRISON...

JE SAIS. NE T'EN FAIS PAS. JE SUIS PRÉPARÉE.

MON DIEU, QUE TU VAS ME MANQUER!...

LE JOUR SUIVANT...

IL FAUT DONC QUE J'AILLE JUSQU'À LA TERRE, AVEC LEILAH ET LES AUTRES, POUR FAIRE UN RAPPORT SUR CE QUI S'EST PASSÉ ICI ET LEUR EXPLIQUER POURQUOI LA COLONISATION DE BÉTEL- GEUSE N'EST PAS FAISABLE. PUIS JE COMPTE REVENIR ICI, OÙ JE RESTERAI LE TEMPS DE METTRE SUR PIED LE GROUPE CHARGÉ DU CONTACT AVEC LES MANTRISSES.

JE NE SAIS PAS QUELS SONT TES PLANS, MAIS J'AIMERAIS BIEN QUE TU RESTES ICI, AU MOINS POUR UN TEMPS. JE VOUDRAIS AVOIR À MES CÔTÉS DES GENS AVEC DES DONS AR- TISTIQUES, COMME TOI. LES MANTRIS- SES S'INTÉRESSENT BEAUCOUP À NOTRE CRÉATIVITÉ ARTISTIQUE.

LEO

MAIS QUE CE SOIT CLAIR ENTRE NOUS, HECTOR : MA PROPOSITION EST D'ORDRE STRICTEMENT PROFESSION- NEL... TU COMPRENDS?

BIEN SÛR, KIM, NE T'INQUIÈTE PAS, J'AI DÉJÀ COMPRIS BIEN DES CHOSES...

MONSIEUR PAD, JE VOUS CHERCHAIS...

QUE PUIS-JE FAIRE POUR NOTRE BELLE ET EFFICACE HÉROÏNE?...

㊺

LA BELLE ET EFFI-CACE HÉROÏNE VOUDRAIT VOUS DEMANDER DE RES-TER ICI SUR BÉTELGEUSE POUR UN TEMPS. QUAND JE RENTRERAI DE LA TERRE, JE VOUDRAIS BIEN AVOIR QUELQU'UN COMME VOUS POUR M'AIDER.

MAIS J'ALLAIS JUSTEMENT VOUS LE PROPOSER! JE ME SENS PLUS DANS MON ÉLÉMENT ICI, SUR CE MONDE ENCORE SAUVAGE ET INTACT, QUE SUR ALDÉBARAN À TRA-VAILLER À L'INSTITUT.

C'EST PARFAIT, ALORS! JE VAIS POUVOIR COMPTER SUR VOTRE DÉBROUILLARDISE LÉGENDAIRE!

CE SERA UN PLAISIR DE TRAVAILLER AVEC QUEL-QU'UN COMME VOUS, MADEMOISELLE!

"JE PARS POUR LA TERRE AUJOURD'HUI DANS LE VAISSEAU AVEC LEQUEL JE SUIS ARRIVÉE ICI AVEC STEVE ET LE COLONEL WONG. C'EST LEILAH QUI LE PILOTERA, SECONDÉE PAR LE COLONEL DONOVAN. AVEC NOUS VIENDRONT AUSSI TOSHIRO ET TAZIO MENEGAZ."

ALEXA, MARC ET INGE SONT PARTIS IL Y A DÉJÀ UNE SEMAINE. J'ESSAIE DE NE PAS PENSER À EUX. SUR-TOUT À ALEXA. JE CRAINS QU'UN SÉJOUR EN PRISON NE LA FASSE SOMBRER DANS LA DÉPRIME. LA SOLIDE ALEXA PEUT PAR MOMENTS DEVENIR TRÈS FRAGILE...

QUAND JE ME REMÉ-MORE MON ARRIVÉE ICI SUR BÉTELGEUSE, CELA ME PARAÎT TRÈS LOINTAIN, ET J'AI L'IMPRESSION D'AVOIR VIEILLI D'AU MOINS DIX ANS! EN RÉALITÉ, JE NE SUIS RESTÉE QUE QUELQUES MOIS. MAIS DES MOIS INTENSES!

TOUT LE MONDE ME DIT QUE JE ME SUIS TRÈS BIEN SORTIE DE MA MISSION. JE NE SAIS PAS. LA MORT DU COLONEL WONG ET DE STEVE ME LAISSE UN GOÛT TRÈS AMER, QUI RELATIVISE BEAUCOUP TOUTE IDÉE DE RÉUSSITE.

"ET PUIS, MON SUCCÈS N'A ÉTÉ POSSIBLE QUE PAR L'AIDE DE SVEN. MA RENCON-TRE AVEC LUI, C'EST ÉVIDEMMENT LE FAIT LE PLUS MARQUANT DE MON SÉJOUR ICI. ET JE SENS AU FOND DE MOI-MÊME QUE JE N'AI PAS ENCORE INTÉGRÉ TOUTES LES RÉPERCUSSIONS QUE CE CONTACT AURA DANS MA VIE FUTURE."

"EST-CE POSSIBLE QU'ENTRE NOUS IL N'Y AIT RIEN D'AUTRE QUE LE SOUVENIR DE CETTE SEULE ET UNIQUE RENCONTRE? JE NE PEUX PAS LE CROIRE..."

SCÉNARIO DESSIN COULEUR

LÉO 2004

FIN

DU MÊME AUTEUR :
KENYA
SCÉNARIO : RODOLPHE & LEO

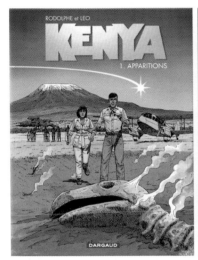 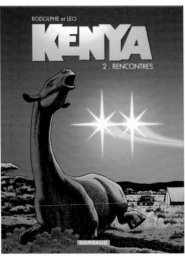 

Une légende ancienne prétend
que dans les contreforts du Kilimandjaro,
le plus haut sommet d'Afrique,
sont enfouies des choses vieilles comme le monde,
des choses terribles qu'il ne faut pas réveiller…

	TERRE	ALDÉBARAN-4	BÉTELGEUSE-6
Diamètre	12 756 km	13 127 km	11 853 km
Gravité à la surface	1	1,2	0,89
Longueur de l'année	365 jours	369 jours	355 jours
Longueur du jour	23 h 56 min	24 h 36 min	23 h 45 min
Pourcentage mer/terre	70/30	91/09	11/89
Hauteur maximale	8848 m (Everest)	4 780 m (Saterjee)	9 745 m (Van Gogh)
Profondeur maximale	11 520 m	26 700 m	5 360 m
Nombre de satellites	1	2	aucun

BÉTELGEUSE

ORION